怪怪小屋的 **5** 考驗

數感小學
冒險系列

目 錄

這本故事是在說……

你來到叮叮的早餐店，點了一杯紅茶，怎麼會這麼甜！你聽到旁邊的客人也在埋怨：「這杯紅茶糖加太多了吧。」

「沒有啊，這杯茶的糖跟別杯一樣多的。」小哲在飲料櫃檯後面解釋，叮叮衝過來拍了他的頭。

「這壺的茶只有半滿，糖只能加一半啊。」叮叮連忙跟客人道歉，換了一杯新的紅茶：「你的應該也太甜吧，真對不起。」
原來茶多甜的關鍵不是糖加多少，而是糖跟茶的「比」。兩個數字之間的比，化簡成一個數字的「比值」、「百分比」等都是這集的主題。趕快翻開來，看看小哲他們怎麼用比來破解關卡吧。

人物介紹

叮叮

丁小美的綽號，就讀春日小學三年級，常在媽媽開的「慢慢等」早餐店幫忙，算術好，行動力強。

鳳凰露露

春日小學新來的宇宙數學社指導老師，她有個特別神祕的大包包，裡頭應有盡有，簡直就像個宇宙黑洞，這是怎麼回事呢？

故事提要

終於拿到閃閃發亮星球卡，想說鬆一口氣的叮叮、小哲和白熊，又立刻接到社員大會通知單，這次地點竟然在校園後面怪怪小屋。不僅小屋好奇怪，怪咖三人組更是陰魂不散，鳳凰露露老師又藏著什麼祕密？難道會是第二張……

小哲

蔡維哲的外號，從小跟著爸爸做訂製款的高級自行車，喜歡研究機械構造、組裝模型，更愛動手做。

白熊

熊大為的身材像大熊，是溫暖的男孩，他蒐集了各式各樣的百科全書，立志將來也要寫一套自己的百科全書。

第一章

紅茶裡的祕密

慢慢等早餐店裡，小哲在幫叮叮調紅茶。

客人很多的時候，叮叮會幫媽媽的忙；時間很趕的時候，小哲和白熊也會主動來幫忙，但是……

「小哲，客人的微糖紅茶好了沒？」叮叮已經問了第三次了。

「再等一下下，馬上就好。」小哲像八爪章魚般，一隻手拿紅茶、一隻手拿量杯，眼睛盯著牆上的比例，遲遲不敢動手。

全糖	少糖	半糖	微糖	無糖
6		3		0

「怎麼了？」白熊過來救援了。

「這到底要加幾匙糖啊？」小哲沮喪的指著那張紙說：「全糖6匙，半糖3匙，然後無糖就是零，對不對？」

「那你還在遲疑什麼呢？」

「上面沒有寫少糖和微糖要幾匙啊。」小哲可憐兮兮的樣子，把等著拿紅茶的姐姐都逗笑了。「弟弟，我趕時間，你給我無糖的吧。無糖就是一點兒糖都不加，行不行。」

姐姐的話一說，叮叮都覺得不好意思，跑過來，湯匙一加：「半糖是三匙、無糖是零匙。小哲，三匙和零匙之間是幾匙？」

她一邊問、一邊量果糖，小哲的一匙半脫口而出時，那杯紅茶也調好了：「謝謝姐姐，不好意思，讓妳久等了。」

姐姐提著早餐走了，叮叮回頭看著小哲：「你平時很靈光，加果糖這麼簡單的事，卻一直學不好，到底為什麼？」

她說的沒錯，為了教小哲調紅茶，試過很多方法，卻沒一個有效。

「真的很難啊，又是全糖，又是少糖、微糖。明明就只是來買茶，幹嘛要一直找碴？」。

叮叮拿一張菜單的背面畫圖解釋：「全糖6匙，半糖就是 $6÷2＝3$ 匙。少糖在全糖跟半糖的中間，所以是 $(6+3)÷2＝4.5$ 匙。微糖也在半糖跟無糖中間，是 $(3+0)÷2＝1.5$ 匙。這4個的比是 $6：4.5：3：1.5$，所以1杯全糖等於4杯微糖的糖量。」

「愈說愈複雜了，現在連小數都加進來了。」小哲苦笑著：「連加個果糖都要數學，太難了。」

叮叮澈底崩潰時，白熊急忙伸出援手：「你是單車高手，前面齒輪踩一圈，後輪的齒輪會轉幾圈？」

一講單車，小哲眼神都亮了：「你說齒輪比啊？」

「什麼齒輪比？」叮叮問。

小哲解釋：「如果前面的大齒盤有 40 齒，後輪小齒輪 10 齒，踩踏板一圈，後輪要轉 4 圈；如果後面調成 20 齒，踩踏板一圈，後輪轉 2 圈。

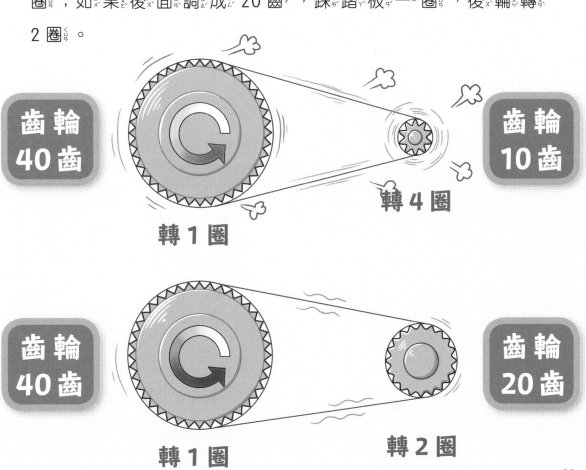

齒輪 40 齒　　齒輪 10 齒

轉 4 圈

轉 1 圈

齒輪 40 齒　　齒輪 20 齒

轉 1 圈　　　轉 2 圈

這下換叮叮睜大了眼睛：「你連齒輪都懂，怎麼學不會1杯全糖等於4杯微糖的比例呢？它就像你說的踩1圈，後面要踩4圈嘛。」

「原來就像齒輪比啊，妳怎麼不早說？」

叮叮嘆了口氣：「這還需要早點說嗎？」

小哲得意洋洋：「都怪妳啊，如果妳早點拿齒輪來比喻，我立刻就懂，因為我是單車專家啊。」

「好吧！剛剛客人點的紅茶。」叮叮在紙上畫出一大串的齒輪：「40齒的大齒輪，20齒的小齒輪；差點忘了，還有10齒的迷你齒輪。」

「什麼迷你齒輪。」

「它是微糖啊，你把它當成迷你齒輪，這樣你看懂了嗎？」

「大齒輪、小齒輪和迷你齒輪？」小哲的頭搖得像波浪鼓：「我一邊調果糖、一邊數齒輪，怎麼來得及？」

快替小哲想想
全糖，少糖和半糖各是代表多少齒的齒輪呢？

全糖	少糖	半糖	微糖
6匙	4.5匙	3匙	1.5匙
？齒齒輪	？齒齒輪	？齒齒輪	10齒齒輪

白熊拍拍他的肩：「所以，別賴皮了，趕快把糖的比例弄懂，現在我跟叮叮都要1杯少糖的紅茶，你要怎麼用一壺調兩杯？」

「兩杯？」小哲急忙看看叮叮給的小抄：「本來是 6：4.5：3：1.5，現在一壺調兩杯，所以全部都要乘以二，那就是 12：9：6：3。我放進 9 匙的果糖，就是兩杯少糖紅茶的糖量，對不對？」

叮叮吁了一口氣：「你終於搞懂了。」

白熊笑了：「不簡單，值得鼓勵，你也來一杯紅茶吧，那要幾匙糖呢？」

我搞懂了！

他們進到學校，發現自己的桌子上都有一張通知單。他們互相看了一眼，腦海中浮現同樣的疑問……

有通知單！

後校園只有草地，哪來的怪怪小屋？

比是什麼？

　　從大數字、時間和單位，你應該已經察覺到生活中到處都是各種大小的數字。它們有的純粹是數字，也有的搭配了單位。這集出現兩個以上的數字，這些數字之間有大於、小於或等於的關係，但有時候我們還想從中知道更多訊息。

可能是這樣的關係……

如果你和朋友比身高，你可能會說：「他 145 公分，我 143 公分，他比我高 2 公分。」

身高比較的關係，用到了「減法」：

145-143＝2

或者是這樣的關係……

不同顏色桌子的長度比較，像是紅桌與 3 張橘桌一樣長，它們用到的是減法嗎？

「紅桌長度是橘桌長度的 3 倍」這句話，轉換成數學式子需要用到除法：

紅桌長度 ÷ 橘桌長度 ＝3

比跟除法、倍數息息相關，除了故事裡的例子，生活中到處都是比。舉例來說：你的體重是 31 公斤，其實也可以想成，你的體重跟國際公斤原器重量比是 31：1。你腦海裡一定浮現更多例子了，對吧！這裡有 5 個分類框，看看你想到的例子是在哪個框框裡？

比的分類：

1. 放大與縮小

60 吋跟 32 吋的電視, 螢幕尺寸比是 60：32。

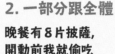

2. 一部分跟全體

晚餐有 8 片披薩，開動前我就偷吃掉了 2 片。
我吃掉的披薩：
全部披薩＝2：8

3. 全體的 2 個部分

一包 m&m 巧克力中, 我最愛的咖啡色數目：最討厭的藍色數目。

4. 合起來有特殊意義的 2 個數量

紅茶的糖：
可以代表這杯紅茶的「甜度」。

5. 其他

一場運動比賽兩隊的比分。

看完每一種分類以及例子，你大概知道它們有什麼不一樣了嗎？接下來，把你想到的例子放進這些分類裡。如果覺得都不適合，那就放到第五個分類。

試著想想看，還有沒有什麼比，它們又屬於哪種分類？
想好了嗎，接下來還有你意想不到的比囉。

生活中的比

　　除了故事裡紅茶跟果糖的比例，仔細一想，你會發現廚房是比的大本營，每一道料理的食材、調味料都可以用比來表示。我們來看鬆餅食譜。

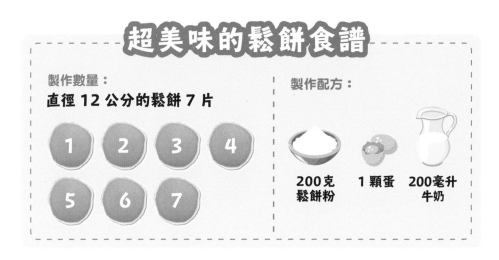

超美味的鬆餅食譜

製作數量：
直徑 12 公分的鬆餅 7 片

1　2　3　4
5　6　7

製作配方：

200克
鬆餅粉　　1 顆蛋　　200毫升
牛奶

　　這裡面有好多好多比：鬆餅粉跟牛奶的重量比是 **200：200**、蛋跟成品鬆餅的數量比是 **1：7**。知道各種食材的比後，不管是要做 14 片、21 片或不同大小的鬆餅，你都可以很快算出需要多少鬆餅粉或牛奶。用這個角度來看，食譜也變成了一本有趣的數學課本！

再想想看哪裡有比？

嗯～桌上的一張 A4 白紙呢？

A4 紙長 297 毫米、寬 210 毫米，是 297：210，大約是 1.4：1。

對摺 A4 紙得到一張 A5，長 210 毫米、寬 148 毫米。

A5 長與寬的比 210：148；兩邊長度依然還是約 1.4：1。

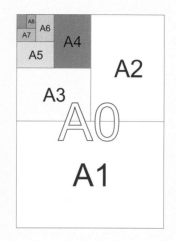

從 A0（1189×841 毫米）白紙開始，對摺一次變成 A1、再對摺一次變成 A2。不管摺幾次，長：寬的比都可以表示成 **1.4：1**。儘管長度跟寬度一直再改變，但變化中存在一個不變的比！

神奇的 A 系列紙是 18 世紀德國科學家利希滕貝格提出來，他想有一張對摺後長寬比例不變的紙。這樣的設計就像電腦螢幕跟電視一樣，提供不同大小但等比例縮放的畫面。當你在 A4 上畫了一幅畫，就能直接縮小或放大到其他尺寸上了。

你可以畫一個跟 A4 紙不一樣的長方形，剪下來，測量長與寬的比。對摺後再量一次，長與寬的比一定會改變。

2

第二章

小屋裡的密碼

這是週三，下午沒課，1點25分，他們到了後校園，草地還是草地、大樹還是大樹。但是，三個人的眼睛瞪得大大的，嘴巴也合不起來。因為在他們面前，在那片草地上，真的有棟怪怪小屋。

昨天還沒有，白熊昨天有從這裡經過。早上也沒有，早上小哲還跑過這片草地。但是現在……

它的牆是一塊塊的門板，五顏六色的門板，乍看會以為是個放大的調色盤，中間的兩塊門板應該是它的出入口，左右兩邊各有一個金色的門環，就像……

白熊低聲的說：「鳳凰露露的包包。」

鳳凰露露是他們的社團指導老師，她有個神奇的大包包，裡頭應有盡有，看起來很小，卻曾裝了一個比包包還大好幾倍的法國革命鐘。包包外頭有個金色扣環，那光澤、形式就和怪怪小屋的門環一樣。

他們還在研究門環，後頭又有人來了。回頭一看，是三年仁班的怪咖三人組。

「你們也來了。」方向是怪咖三人組的老大，或許他站在逆光處，看起來頭髮閃閃發光。

「我們有一張宇宙星球卡了。」小哲故意激他。老師曾說過，誰先搶到三張星球卡，就能代表春日小學與外頭的數學社比賽。

「那是僥倖。」方向哼了一聲，他後頭兩個跟班也跟著大聲吆喝。

小哲正想反譏回去，一陣叮咚叮咚響……

怪怪小屋的門打開了，一頭紅髮的鳳凰露露帶了六位小孩出來。

「28 分 32 秒，泥們闖關失敗。」鳳凰露露像在宣布什麼，那六位孩子低著頭，沮喪的走了。

「啊，泥們來了，窩好開心。」鳳凰露露招呼他們：「還有 1 分 25 秒，闖關就要開始了。」

「闖關？」小哲很興奮：「你是說裡頭有關卡等我們去闖？」

「這又是宇宙數學社的比賽？」叮叮問。

「勝利的是不是有一張宇宙星球卡？」方向急著問。

鳳凰露露把門打開，做了個請：「泥們進去後，窩會把門反鎖起來，泥們要從另一邊的門出來，誰先打開門，宇宙星球卡就是誰的。如果泥們放棄了，只要敲三下門，窩立刻把泥們放出來。

歡迎闖關

25

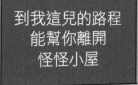

到我這兒的路程
能幫你離開
怪怪小屋

　　門關上後，他們以為室內會很暗，但是天花板卻亮了，乳白色的光芒照亮屋子每一個角落。

　　屋子正中間是個池塘。說是池塘，更像個游泳池，池水清澈，池底隱隱約約有三道彎彎曲曲的道路，通向對面的出口大門，門上有個四位數的密碼鎖。

對面的牆上還有三個液晶螢幕，它們的尺寸看起來差不多，但長寬卻不太一樣，中間是長方形螢幕，左邊是橫的、右邊又很寬。螢幕上顯示的都是同一句話：「到我這兒的路程能幫你離開怪怪小屋。」

那句話幾乎每隔一段相同的時間，就出現一次。那句話閃完、消失，浮出一組數字。最初是 1000，但下回再出現就變成 999。

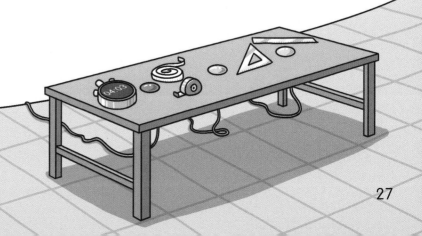

白熊低聲的說：「如果數字掉到零，我們大概就會像上一組一樣被淘汰了。」

他們討論時，怪咖三人組已經搶先一步到了池邊，池邊有張長桌，桌子上有三個按鈕。

小哲蹲下去檢查：「這三個按鈕連到池底的路。」

桌面上擺了不少東西：皮尺、直尺、三角板，也有一個滴滴亂叫的碼錶，上頭顯示的時間是「04：03」。

小哲把它拿起來看一看、搖一搖，滴滴滴的聲音有點吵，他關掉碼錶，但是不管他怎麼按，碼錶就是關不掉。

　　「滴滴滴、滴滴滴。」

　　「你不懂就讓我們先研究。」方向說。

　　小哲不理他，翻到後頭想把電池拿出來，可是電池蓋鎖住了，他把碼錶拿給方向，抬頭看看對面：「糟糕，時間又少了。」

　　螢幕上變成了996。

怪怪小屋的牆上掛了幾張畫，前幾張像教堂裡的彩色玻璃，它們的長寬看起來比例很一致，色彩也很豐富。

白熊對叮叮說：「妳們家的早餐店也掛了這樣的畫，那是伊斯蘭的窗花，裡面的形狀都有一定的比例，因為伊斯蘭人喜歡這種比例。」

「是嗎？」白熊的話讓叮叮好訝異，那幅畫掛在店裡很久了，她都沒注意。

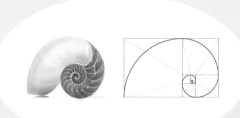

聽了白熊的話，小哲發現最後一張是海螺的剖面圖，隨著海螺旋轉變小的螺旋。

「那張是黃金螺旋。」小哲對機器很著迷：「據說潛水艇的靈感就來自它們。」

小哲突然啊了一聲跳起來：「我知道了。」

「你知道什麼？」叮叮問。

「我知道密碼了，因為牆上的畫就像畫圓一樣，不斷旋轉。」他邊跑邊說，繞著池水跑到出口，輸入密碼0000，滿懷希望的用力一拉。門鎖動也不動。

「哈哈哈哈！」怪咖三人組望著螢幕，發出一陣狂笑。

螢幕上閃動著另一句話。「喔哦！三愛輸入密碼的機會，只剩一次。」一秒後，螢幕又跳回時間：953。

「只剩一次啦，快淘汰囉。」方向說。

他們三個同時大叫：「乖乖回家去哭吧。」

小哲沒哭，他憤憤不平走回來：「不公平，才兩次機會。」

　　叮叮按著他：「別衝動，先討論再行動。」

　　「壞掉的碼錶，尺寸不一樣的螢幕，是鳳凰露露老師沒錢買，還是買不到相同的螢幕？」

　　叮叮搖搖頭：「她有辦法在一天之內挖了池塘，蓋了這棟怪怪小屋。你說，她會買不到一樣的螢幕？」

　　「所以，問題在比例上。」白熊很有把握的說：「這屋子裡的一切都是有意義的，像是那些窗花，它們就在暗示我們。」

　　「窗花？他是要我們從窗戶跳出去嗎？」小哲問。

　　「不，你們注意看窗花裡菱形的 2 條對角線長度。」白熊拿了一把直尺過去量，是 24 公分和 10 公分。

　　「哈，我知道了。」小哲再度跳起來：「密碼是 2410。」

他還沒來得及跑，手就被人牢牢的提住，是叮叮。

「別‧衝‧動。」叮叮嘆口氣：「你難道不能好好想一想嗎？」

「那到底是多少嘛？」小哲問。

叮叮看看白熊，白熊正在微笑。

「你知道答案了？」

白熊點點頭：「也許吧。」

「你先別說，讓我想一想。」叮叮拿著尺，量量黃金螺旋，第一個矩形的長是 16 公分，寬是 10 公分；黃金螺旋上還有個小矩形：「8 公分和 5 公分，如果把 8 和 5 都乘以 2，……」

「啊～」她突然拍拍手：「8：5 就是 16：10。」

「那就是 1610！」小哲大叫。

「你別動。」叮叮盯著他：「事情絕對沒那麼簡單。」

「窗花和黃金螺旋是在提示我們要選擇正確比例，對面三個螢幕尺寸，只有一個是正確的。」白熊還說：「你們仔細回想一下，剛才我們進來時，滴滴亂叫的碼表顯示 04：03。怪怪小屋大門的比例，應該也是 4：3。」

「所以要選……」

叮叮推了小哲一一把：「還想不出來嗎？」

小哲仔細看看三個螢幕，中間的太瘦、右邊的太扁：「應該是左邊的，對不對？」

　　他們討論完，長桌另一邊的怪咖三人組也找到答案了。

　　「中間，怪怪小屋長得就像又長又扁的長方形，就像中間的樣子。」怪咖三人組占據中間的按鈕，挑釁的望著他們。

小哲為求慎重，在怪咖三人組的嘲笑聲中，又跑過去量螢幕：「它的長是 60 公分，寬是 45 公分，都除以 15，哈，也是 4：3。」

　　「所以要選左邊。」小哲說，叮叮和白熊同時點頭。

　　「輸了別哭啊！」方向說完，他的跟班全尖聲尖氣的笑了。

　　於是，兩隊同時壓下按鈕。嘰嘰嘰嘰，一陣機器轉動的聲音，池裡有什麼地方動了。

　　嘩啦啦啦，池水快速流動。

左邊一條彎彎曲曲的小
路慢慢浮出水面。仔細看，那
小路上其實擺了很多張大小不同
的桌子。

數感百科

藝術與大自然中的比

　　怪怪小屋牆上的伊斯蘭花紋，背後也都隱藏著特殊的比。由於伊斯蘭宗教不允許製作神像表達敬意，但信徒還是想用藝術表達對神明的敬意，於是他們從幾何圖形裡找答案，使用花紋裡特殊的菱形，搭配正方形，不僅拼出美麗的對稱圖案，還可以不斷延伸，彷彿是在讚嘆神明無窮無盡的法力。

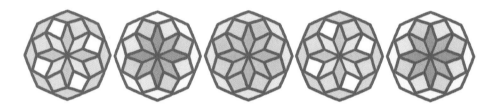

　　完成伊斯蘭花紋的重要關鍵就是裡面特殊的菱形，它隱藏了一個特殊的比例。你猜到在哪裡了嗎？菱形四邊一樣長，比的兩個數字落在對角線上，菱形的長對角線與短對角線的長度比是 **2.414：1**，稱為「白銀比例」。而擁有白銀比例的菱形，叫做白銀菱形。

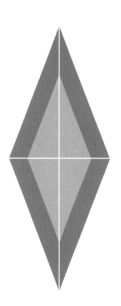

講到白銀，自然會想到應該有更貴重的黃金吧？沒錯，「**黃金比例**」也藏在牆上的螺旋圖案裡。我們其實可以在螺旋外緣畫出一個個長方形，每一個的長：寬都是 **1.618：1**。這就是黃金比例。自然界存在許多黃金比例，像是鸚鵡螺或植物生長方向。

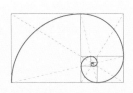

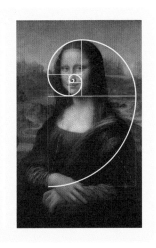

海洋生物鸚鵡螺的外殼內部, 沒想到存在著令人驚訝的神奇比例。在外殼邊緣可以畫出一個個長方形, 而這些長方形都符合黃金比例。

仔細看看，名畫「蒙娜麗莎的微笑」真的符合黃金比例嗎？

另外，《蒙娜麗莎的微笑》、《最後的晚餐》，或是希臘帕德嫩神殿等藝術作品，據說也存在著黃金比例。人們覺得只要符合這個比例，藝術品或建築物就會特別美。但也有很多數學家覺得這些藝術品裡的比例只是近似 1.618：1，沒辦法證明一定是黃金比例。只是「黃金比例＝美麗」的等式早已深植人心。看完這幾個生活、藝術、自然的比，再想想這些例子，各該放到前面 4 個分類裡的哪一個呢？

第三章

決戰時刻

911變成了910。三個螢幕的時間都相同。

下一秒鐘，它們同時……。不，中間的螢幕不一樣，它出現的字是：「三仁輸入密碼的機會，剩一次。」

怪咖三人組都是三仁的學生，他們看了螢幕開始吵架，兩個跟班嫌方向的數學不好，方向怪他們吵到他無法思考，要不是叮叮拉著小哲去研究浮出來的小路，小哲可以一直留在那裡欣賞他們吵架的情形呢。小哲看看那條小路，問：「從上面走過去，密碼鎖就會打開了嗎？」

叮叮說：「事情沒那麼簡單。但是，解答一定跟怪怪小屋有關。」

白熊分析：「我們是從牆上的畫，才選了4：3那個螢幕，這告訴我們什麼訊息？」

　　「訊息啊……」小哲想了半天：「這些比來比去的訊息告訴我們，如果答不出來就出不去的訊息。」

　　「哈哈哈，這是什麼答案啊。」怪咖三人組的笑聲讓小哲的臉都紅了。

　　「別偷聽我們的談話。」小哲忿忿的說：「你們自己想辦法。」

　　「你的答案，根本沒有用。」

　　方向他們走到另一邊時，白熊卻笑了：「其實小哲說得很好，解答一定是比來比去的，要我們仔細的比來比去。」

叮叮走到那條路上，她仔細看了看：「這些桌子就像我家早餐店的桌子，大大小小、拼來拼去。照大小分成三種顏色，橘、紅、黃。橘色最小、黃色最大。」

「會不會是要我們量桌子總共有多長，密碼就是所有桌子的長度？」小哲拿起桌上的直尺：「我敢拿我的小摺打賭，這一定跟長度有關，不然怎麼會有直尺又有皮尺。」

　　他拿著直尺開始量，叮叮想幫忙，怪咖三
人組卻搶先一步，把皮尺和捲尺拿走。

　　「你們用直尺慢慢量吧。」方向很得意的說。

　　「量到晚上一定量得完。」一個跟班說。

　　「可惜時間沒那麼多了。」他們三人同時哈
哈大笑。

　　「真過分，這麼短的直尺要量到什麼時候？」

小哲想跟他們理論，叮叮卻按著他：「用量的太慢了，你們看，這條路的左右兩邊是不同的桌子排出來的。三張橘桌和一張紅桌一樣大，只要知道橘桌長度，再乘以 3，就是紅桌的長。」

　　「沒錯，一定是這樣，這就像在調紅茶的糖一樣。」白熊指著橘桌說：「你們再看兩張紅桌又等於一張黃桌，所以 **紅：黃 = 1：2，橘：紅 = 1：3**。」

　　「所以，它們的長度比應該是 **1：3：6**。」叮叮歡呼一聲：「我只要算出這些書桌等於幾張橘桌，就能算出全部的長。」

比來比去的橘黃紅桌：

3 張橘桌子。

3 張紅桌子 = 9 張橘桌子。

2 張黃桌子 = 4 張紅桌子 = 12 張橘桌子。

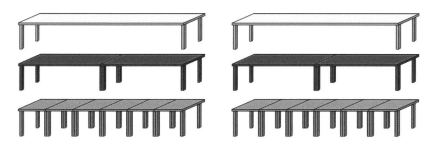

「一共是 **3 + 9 + 12 = 24** 張橘桌子。」叮叮笑咪咪的說：「現在只要去量橘桌子的長度。」

「43 公分。」

小哲量時，還被怪咖三人組嘲笑了一下：「快量吧，早告訴你們了，用量的最安全，你們只要一步一腳印……」

「1032。」叮叮心算特別快：「24 張 43 公分橘桌子的長度，**24 × 43 = 1032** 公分。」

「這就是那個鎖的密碼了。」小哲放下直尺，走到四位數密碼鎖邊：「這是最後一次機會了，如果我們又錯了，就拿不到星球卡了。」

他抬頭，螢幕顯示的時間來到了「880」。

「小哲，你按不按呀？」白熊和叮叮問。

他輸入號碼鎖，喀！密碼鎖開了。

大門打開了，鳳凰露露的耳環在風中叮咚作響，她微笑的看著三愛小隊。

「泥們很棒，只花 20 分鐘，拿到 880 分。」

「我們也快量好了。」方向很不服氣。

「那我們有一張宇宙星球卡嗎？」小哲問。

「當然。」她從包包裡拿出一張閃著金色光芒的卡片。

白熊看看那卡片：「是金星。」

「金星很漂亮的，尤其在漆黑的宇宙中。」鳳凰露露說得好像真在宇宙中航行過，她在怪咖三人組羨慕的眼光中，把卡片交給白熊。

「第二張了。」小哲興奮的說：「我們是最快的隊伍吧？」

「不！」鳳凰露露給他一個抱歉似的微笑：「秋里小學有人更快，塔們在 882 時出來，所以分數比泥們多了 2 分。」

「才兩分。」

鳳凰露露把臉湊近他們：「在浩瀚的宇宙裡，算錯一點點，差距就是好多好多光年。如果一天差兩分，一年就差多少分了！」

「唉～我還以為我們是最棒的。」小哲說。

「泥們還是很棒，因為怪怪小屋的考驗，目前只有三隊能找到正確密碼。窩想，最後去比賽的，說不定就是泥們這三隊呢。好囉，下一隊快要來挑戰了，泥們可以走了。」

「妳不怕我們把答案告訴下一組嗎？」叮叮忍不住問。

「既然塔叫做怪怪小屋，泥們覺得每一次的問題都會一樣嗎？」

鳳凰露露的笑聲，迴盪在怪怪小屋四周，嚇得樹葉又落了幾片下來。

鳳凰露露老師的恐怖笑聲是不是還藏著什麼祕密？難道跟最後一張星球卡有關。先別急著看下一集，後面更有趣的數感百科就要來囉！

數感百科

比的運算 1：最簡單整數比

　　來多聊一點數學。今天調配兩杯紅茶：第一杯是 200 毫升的紅茶跟 2 匙糖，第二杯是 400 毫升的紅茶跟 4 匙糖。請問這兩杯紅茶喝起來一樣甜嗎？應該一樣對吧。

　　一杯紅茶的茶（毫升）：糖（匙）是 200：2，另一杯是 400：4。明明「比」的長相不一樣，但「比」反應出來的甜度相同，表示有一個相同之處是我們第一眼沒看到，但可以透過數學運算呈現。

關鍵呈現的方法就是 最簡單整數比	前面的 200 為「前項」　後面的 2 為「後項」 $$200 : 2$$ 前項與後項都可以被 2 整除 $200 : 2 = 200 \div 2 : 2 \div 2 = 100 : 1$

　　此時的前項與後項無法再被同一個整數整除，我們就稱 100：1 為 **「最簡單整數比」**。

　　再來算 400：4 的最簡單整數比：

　　400：4 ＝（400÷4）：（4÷4）＝ 100：1

　　因此，兩杯茶與糖的比例同樣是 100：1。兩杯紅茶甜度一樣的關鍵，就這樣被找到啦。

任意兩個數字中間加個「：」，就是比；但最簡單整數比的兩個數字要簡單到，不能再被同一個數字整除。最簡單整數比讓我們發現，看似不同的比可能其實一樣。

這個都是「比」的符號喔

比方說，大多電視螢幕的長：寬都是16：9，指的就是最簡單整數比。否則去賣場走一圈，那些大大小小的各種螢幕尺寸，不管用吋、公分、公尺，你不可能看到有一台螢幕的長跟寬剛好是16跟9這兩個數字，都必須要經過計算才能得到16：9。以55吋螢幕來說，長約是48吋，寬27吋：

48：27 ＝（48÷3）：（27÷3）＝ 16：9

不同尺寸的螢幕、不同容量的飲料，看起來好像不一樣，其中又有共同之處。我們可以用直覺感受到這個共同之處，但是能用上最簡單整數比來分析，就能解釋得更清楚。

比的運算 II：連比

　　現在講到的比都是兩個數字的關係，不過數學家很喜歡依此類推，比只能有兩個數字嗎？

　　想想看以前學加法，2 個數相加得到一個答案，接著就學 3 個數字相加、4 個數字相加，直到任意數字都可以相加得到答案。比也一樣，既然 2 個數字可以寫出比，那 3 個數字可以嗎？4 個或 5 個數字呢？

故事裡白熊運用連比來計算橘色、紅色、黃色桌子的長度關係。如果只用比來看：

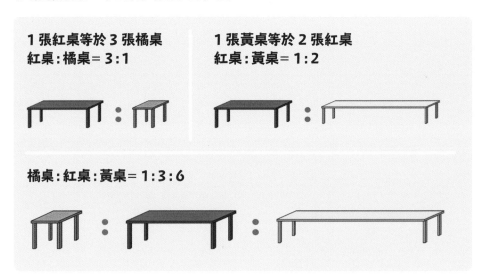

又是 3：1，還有 1：2，誰看到這種比應該都會皺起眉頭，白熊真厲害。

這在生活中很常遇到。如果你今天想喝的不只是紅茶，而是奶茶。配方上寫著200毫升紅茶、100毫升牛奶、2匙糖。套入比的表示法，得到 **紅茶：牛奶：糖 = 200：100：2**（是最簡單整數比嗎？）。如果是芋頭奶茶，就變成了 4 個數字的比。

超過 2 個數字的一連串數字比較，我們稱之為「連比」。

白熊的祕訣是假設紅桌長 60 公分：

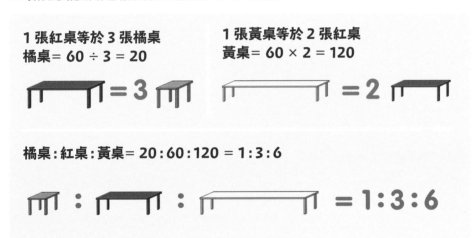

1 張紅桌等於 3 張橘桌
橘桌 = 60 ÷ 3 = 20

1 張黃桌等於 2 張紅桌
黃桌 = 60 × 2 = 120

橘桌：紅桌：黃桌 = 20：60：120 = 1：3：6

這樣是不是變得簡單許多！而且不管把紅桌假設成各種長度，算出來的比例都是相同。以故事中橘桌實際長度是 43 公分，紅桌是 43×3 = 129 公分，黃桌是 129×2 = 258 公分。三種桌子的比例還是 1：3：6。

關鍵在於 **比描述的是相對關係，而非絕對關係！**

百分比

　　除了比較兩個數字，我們還會更進一步，比較兩個比。在籃球比賽的關鍵時刻，大家會傳球給投籃最準的王牌選手。投籃最「準」，準又該怎麼表示成數字呢？

先算出「進球數：總投球數」！

8 號球員投 20 球中了 8 球→ 8：20
23 號球員投 25 球中了 11 球→ 11：25
好像不知道該怎麼比較。

最簡單整數比，2：5 和 11：25
還是不太能比較。

　　只要把 8 號球員的比改寫成 2：5 ＝ 10：25，就可以視為同樣投 25 球的情況下：8 號命中 10 球，23 號命中 11 球。看出來了嗎？23 號選手比較準一點。先用「進球數：總球數」表示投籃比例，再把總球數調整成一樣，就能用進球數比較出誰是王牌選手了。

就像是在體育課投籃考試時，老師都規定大家的出手次數一樣，用進球數打分數，就知道誰比較準。籃球比賽時，選手的出手次數常常不相同，但只要善用比，依然可以知道哪位選手比較準。

問題來了，要規定大家出手次數，你會規定投幾球呢？通常為了方便計算而定100球。剛剛兩位選手的比會變成40：100跟44：100。既然都是100球，我們可以簡短表示成：

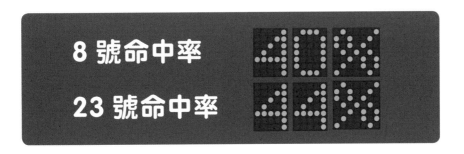

| 8 號命中率 | 40% |
| 23 號命中率 | 44% |

「%」是百分號，只要寫成40%，大家就知道是40：100。像命中率這樣以100為標準的比，我們稱為「百分率」或「百分比」。不只是籃球選手的命中率，衣服的標籤、超商的果汁，還有很多地方都可以看到%這個符號。

比值

　　百分率是把比的後項固定成 100 後，前項的數值。後項除了固定成 100，你覺得還可以固定成多少呢？再去球場看看，這次來到也有很多「率」的棒球場。電視轉播顯示打者的打擊率時，都是小數，而且絕對是比 1 小的小數。

32 號選手打擊率 0.3

計算打擊率時，用到的比「安打數：總打數」，後項不是固定成 100，而是固定成 1。

現實裡不可能打出 0.3 支安打，這同樣是透過數學運算，把一位 200 個打席打出 60 支安打的打者數據整理成：

$$60 : 200$$
$$= 60 \div 200 : 200 \div 200 = 0.3 : 1$$

既然後項都是 1，那不用寫，大家也都知道。所以打擊率直接寫成 0.3，這就是安打數跟總打數的「比值」。

你應該發現比值其實有一個非常快的算法，就是：

前項 ÷ 後項 →
$$60 \div 200 = 0.3$$

打擊率的比值是小數，我們也可以用另一種方式來表示比值。以 60：200 來說，可以直接寫成 $\frac{60}{200}$。

這種一上一下的寫法稱為「**分數**」，它跟小數一樣，可以寫出不是整數的數字。比值寫成分數，看起來比寫成小數少了很多計算，不過通常會像最簡單整數比一樣，讓分數的上面（分子）與下面（分母）簡單到無法再被同一個數字整除，這個過程稱為「**約分**」。

上面是分子

$$\frac{60}{200} \qquad \frac{60}{200} = \frac{3}{10}$$

等號右邊是分子分母同時除以 20 的結果。

下面是分母

約分跟最簡單整數比都是為了能一眼看出哪些組數字有相同的比例。

《小王子》的作者說過：「完美不是能再加入些什麼，而是無法再減少些什麼。」數學家不喜歡多餘的事物，追求這樣的完美境界。如果你想學好數學，就要養成數學家般的好習慣，不只寫出答案，還要看看能不能把答案寫得更簡潔、更完美喔。

數感遊戲

伊斯蘭窗花

　　拿到星球卡後大家都很開心，輪流拿在手上看，只有叮叮若有所思，原來她想著怪怪屋牆上的伊斯蘭窗花，美麗的幾何圖案，讓人心情平靜。

　　叮叮上網研究了好幾天，跑去文具店買材料，自己在家裡做一片伊斯蘭窗花。你要不要看看叮叮的研究結果，跟著她一起做呢？

遊戲道具

❶ A4 大小的珍珠板 1 張	❹ 美工刀 1 把
❷ 四種顏色 A4 玻璃紙各 1 張	❺ 剪刀 1 把
❸ 膠水 1 罐	❻ 手電筒 1 支

※ 以上材料道具請自行準備，珍珠板與玻璃紙在文具店都可以購買到。
　 玻璃紙顏色不影響結果，可以隨個人喜好挑選。

遊戲玩法

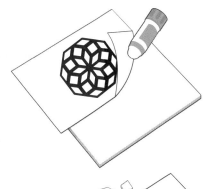

❶ 影印伊斯蘭窗花圖

自由選擇並影印下頁的
伊斯蘭窗花圖，並用膠水
黏貼在珍珠板上。

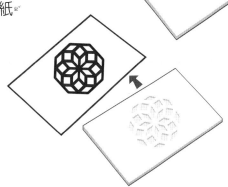

❷ 用美工刀割下窗花白色的部分

用美工刀同時割下紙
和珍珠板

❸ 完成後撕下窗花紙。

❹ 黏上玻璃紙

在珍珠板鏤空處黏上各
種顏色的玻璃紙。

❺ 窗花投影

找面白牆並且關
閉燈光，用手電
筒照射貼好玻璃
紙的珍珠板，就
可以看見美麗的
窗花投影在牆上。

伊斯蘭窗花圖 2 張，請重複影印使用。
仔細看，這兩張圖案有哪些地方不一樣？

數感思考

　　用尺量量看窗花裡菱形的 2 條對角線長度，較長的對角線除以較短的對角線，得到的值是不是 2.4 ？如果除出來和 2.4 有差距，想一想，是什麼原因造成了誤差呢？

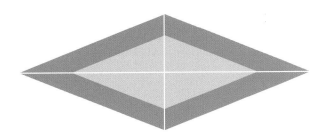

　　當測量長度時多或少了幾毫米，除出來的比值就會有誤差。事實上，這個比值就是白銀比例，它不是剛好等於 2.4，而是 2.41412……。一個永遠除不盡、寫不完的數字。

　　伊斯蘭窗花不只在菱形裡藏了白銀比例，還有其他地方也是。比方說，整個窗花外觀是正八邊形，它的邊長跟其中一條對角線相除，也是白銀比例。比就是這樣，喜歡跟我們玩躲貓貓的數學。

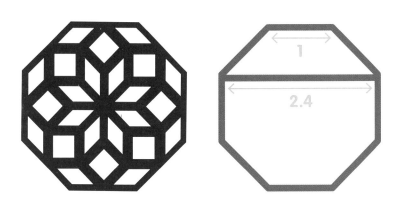

給家長的數感叮嚀

本集介紹比、最簡單整數比、比率、百分比、比值，幾乎包括了小學所有的有關比的主題，甚至提到國中才會學到的「連比」。請不用擔心因為超前的知識造成小朋友閱讀上的困難。打個比方說，參觀美術館的人不需要具有高深的藝術背景。當然，具備相關知識的人在欣賞一幅畫作時，收穫或許比一般人多。但只要認真看，都可以感受到畫作的美、探索藝術世界，而這正是這套書的宗旨。我們希望藉著故事，讓小朋友看見數學之美與實用面，以欣賞藝術的角度來品味數學。如此一來，當他們回到學校數學課，被要求精熟、操作一項數學技能時，更能樂在學習之中。

各式各樣的比

前幾集的數學主題都在說明1個數字（大數字、小數字）的涵義，或是數字與現實的關係（單位、時間）。比則探討了2個數字之間的關係。任意2個數字都可以寫成比，進而按照數學規則，學會計算出最簡單整數比、百分比、或比值。最簡單整數比能判斷「一樣、不一樣」。百分比與比值更進一步的「比較」比。它們把比的後項分別固定成100跟1，讓比的表示法從兩個數字化簡成一個數字。比較比值，便能知道是哪一瓶果汁比較濃？哪一位選手投籃比較準？哪一台電視螢幕比較寬？

比的生活應用

比是2個數字的關係，不是一眼就看到的數值，因此有些小朋友會覺得太抽象。建議先協助小朋友更明確感受到比的存在。舉例來說，體育課打籃球，6個人用1個籃框、12個人需要用2個籃框……全班24個需要用4個籃框。當他們感受到人數與籃框數這2個數字的變化不是獨立，而是有著穩定的「正比」關係時，再進一步詢問：「是不是有1個數字隱藏在人數與籃框數背後，主導它們的變化？」：

人數／籃框數 = 6，人數 = 6 籃框數，
所以人數：籃框數 = 6：1

從感覺到量化，從實體到抽象的過程，是最自然的數學學習過程。

後半段的數學補充列出了5種生活中比的應用：第一種是「放大縮小」，像地圖，有了比例尺才知道該放大縮小多少倍。第二種是「一部分跟整體的比較」，命中率、打擊率都屬於此類。第三種是「整體中不同部分的比較」，像是1日的時間分配中，吃飯和工作所花的時間長度比較，即屬於此類。第四種是「存在特殊關係的2個數字」，像是1盒5顆巧克力價值100元，比值20便是「每顆巧克力的單價」；開1趟車的距離與花的時間的比值，就是「速度」；還有其他則被歸類成第五種。有了這些分類，你可以再和小朋友腦力激盪，想想看還有哪些有意義的例子。第三集的單位也可以用比的角度來理解，或是反過來用單位來理解比，像是速度問題就是很好的例子。

用「比」測量金字塔高度、地球直徑

歷史上有許多數學家曾經做出讓人驚呼不可思議的測量，像是古希臘數學家泰勒斯量出了金字塔的高度、埃拉托斯特尼量出地球的直徑。他們沒有任何高科技工具，而是用「比」。以泰勒斯來說，他沒有拿什麼特別長的尺或是搭一臺雲梯車到金字塔頂端。他只是一直低頭盯著自己的影子，當他發現某時刻的影子和自己的身高一樣時，就趕快去量金字塔的影子。因為在這個時間點，不管金字塔還是人，身高：影子＝1:1。

家長不妨詢問小朋友，能不能想到比泰勒斯更聰明的方法？其實不用特別等到1:1，在任何一個時間點，只要量出身高跟影子長度的比值，便能用這個比值，搭配金字塔影子長度，推算出金字塔高度。

**金字塔的高度：金字塔的影子長度 =
自己的身高：自己的影子長度**

**金字塔高度 =
金字塔的影子長度 × $\dfrac{\text{自己的身高}}{\text{自己的影子長度}}$**

試著讓小朋友活用這個方法，一起測量家中房子的高度吧。

怎麼對折都不變的「比」

此外，也建議實際操作書中的幾個例子，小朋友會對比更有感覺。舉例來說，拿一張A4紙，把它對折、對折、再對折。可以發現對折後的長度與寬度比例都維持不變。

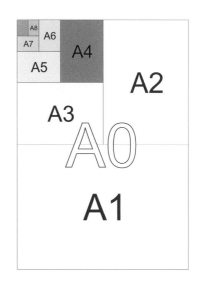

書中我們讓小朋友動手測量，得到A系列紙張的長寬比固定，都是1.4：1。事實上，只要根據「對折後，長方形的長寬比不變」條件，不需要測量，就能推斷長寬比是1.4。家長不妨參考以下過程，引導小朋友這樣思考。

首先，對折後面積變成一半。2個長寬比一樣的長方形，一個的面積是另一個的2倍，邊長就會是$\sqrt{2}$倍（$\sqrt{2}\approx1.4$）。於是我們得到：

對折前的長邊：對折後的長邊＝$\sqrt{2}$：1

對折後的長邊等於對折前的短邊，所以：

對折前的長邊：對折前的短邊＝$\sqrt{2}$：1

不需要測量，就能得到A4紙的長:寬＝$\sqrt{2}$:1

這幾個例子可以發現數學是一件絕佳的推理工具。運用數學能從一個表象，推理出許多需要重新測量，或是根本難以測量的數據：地球直徑、金字塔高度、還有A4紙的長寬比。

數感小學冒險系列
套書企劃緣起

國立臺灣師範大學電機工程學系助理教授、
數感實驗室共同創辦人/賴以威

我要向所有關心子女數學教育的家長，認真教學的國小老師脫帽致意，你們在做一件相當不容易的事，因為根據許多國際調查，臺灣學生普遍不喜歡數學、對自己的數學能力沒信心，認為數學一點都不實用。這些對數學的負面情意，不僅讓我們教小朋友數學時得不斷「勉強」他們，許多研究也指出，這些負面情意會讓學習效果大打折扣。

我父親是一位熱心數學教育的國小教師，他希望讓大家覺得數學有趣又實用，教育足跡遍布臺灣。父親過世後，我想延續他的理念，從2011年開始寫書演講，2016年與太太珮妤一起成立「數感實驗室」，舉辦一系列給小學生的數學實驗課，其中有一些受到科技部的支持，得以走入學校。我們自己編寫教材，試著用生活、藝術、人文為題材，讓學生看見數學是怎麼出現在各領域，引發他們對數學的興趣，最後，希望他們能學著活用數學（我們在2018年舉辦的數感盃青少年寫作競賽，就是提供一個活用舞台）。

「看見數學、喜歡數學、活用數學」。這是我心目中對數感的定義。

2年來，我們遇到許多學生，有本來就很愛數學；也有的是被爸媽強迫過來，聽到數學就反彈。六、七十場活動下來，我最開心的一點是：周末上午3小時的數學課，我們從來沒看過一位小朋友打瞌睡，還有好幾次被附近辦活動的團體反應可不可以小聲一點。別忘了，我們上的是數學課，是常常上課15分鐘後就有學生被周公抓走的數學課。

可惜的是，我們團隊人力有限，只能讓少數學生參與數學實驗課。於是，我從30多份自製教材中挑選出10個國小數學主題，它們是小學數學的重點，也是我認為與生活息息相關。並在王文華老師妙手生花的創作下，合作誕生這套《數感小學冒險系列套書》。這套書不僅適合中高年級的同學閱讀。我相信就算是國中生、甚至是身為家長與教師的您，也能從中認識到一些數學新觀念。

本套書的寫作宗旨並非是取代學校的數學課本，而是與課本「互補」，將數學埋藏在趣味的故事劇情中，讓讀者體會數學的樂趣與實用。書的故事讓小讀者看到數學有趣生動的一面；「數感百科」則解釋了故事中的數學觀念，發掘不同數學知識之間的連結，和文史藝術的連結；再來的「數感遊戲」延續數學實驗課動手做的精神，透過遊戲與活動，讓小朋友主動探索數學。最後，更深入的數學討論和故事背後的學習脈絡，則放在書末「給家長的數感叮嚀」，讓家長與老師進一步引導小朋友。

過去幾年來，我們對教育有愈來愈多元的想像，認同知識不該只是背誦或計算，而是真正理解和運用知識的「素養教育」。許多老師和家長紛紛投入，開發了很多優秀的教材、教案。希望這套書能成為它們的一分子，得到更多人的使用，也希望它能做為起點，之後能一起設計出更多體現數學之美的書籍與活動。

王文華✕賴以威的數感對談

用語文力和數學力
破解國小數學之壁

不少孩子怕數學，遇到計算題，沒問題。但是碰上應用題，只要題目文字長些、題型多點轉折，他們就亂了。數學閱讀對某些孩子來說像天王山，爬不上去。賴老師，你說說，這該怎麼辦？

這是個很有趣的現象，我們希望小朋友覺得數學實用（小朋友也是這麼希望），但跟現實連結的應用題，卻常常是小朋友最頭痛的地方。我覺得這可能有兩種原因：

① 實用的數學情境需要跨領域知識，也因此它常落在三不管地帶。
② 有些應用題不夠生活化、也不實用，至少無法讓小朋友產生共鳴。

老師的數學太專業了啦！

原來如此，難怪我和賴老師在合作這套書的過程，也很像在寫一個超級實用又有趣的數學應用題。不過你寫給我的故事大綱，讀起來像考卷，有很多時候我要改寫成故事時，還要不斷反覆的讀，最後才能弄懂。

呵呵，真不好意思，其實每次寫大綱都想著「這次應該有寫得更清楚了」。你真的非常厲害，把故事寫得精彩，就連數學內涵都能轉化得輕鬆自然。我自己也喜歡寫故事，但看完王老師的故事都有種「還是該讓專業的來」的感嘆。

這並不是賴老師太壞心，也不是我數學不好，而是數學學習和文學閱讀各自本來就是不簡單，兩者加起來又是難上加難，可是數學和語文在生活中本來就分不開。再者，寫的人與讀的人之間也是有著觀感落差，往往陷入一種自以為「就是這麼簡單，你怎麼還不懂」的窘境。

小朋友怎麼從一個具象的物體轉換成抽象的數學呢？

→ 當小朋友看到一條魚（具體）

→ 腦中浮現一隻魚的樣子（一半具體）

→ 眼睛看到有人畫了一條魚（一半抽象）

→ 小朋友能夠理解這是一條魚，並且寫出數字1

大人可以一步到位的1，對年幼的孩子來講，得一步步建構起來。

而且賴老師，我跟你說：大人們總是覺得看起來簡單得要命的小學數學，為什麼小孩卻不會？

最大一個原因在於大人忘了他們當年學習的痛苦。

還有的老師或家長只一昧要求孩子背誦與解題，忽略了學習的樂趣，不斷練習寫考卷。或是題型長一點，孩子就亂算一通。最主要的原因是出在語文能力不足，沒有大量閱讀的基礎，根本無法解決落落長又刁鑽得要命的題型。

以色列理工學院的數學教授阿哈羅尼（Ron Aharoni）提到，一堂數學課應該要有三個過程：從具體出發，畫圖，最後走向抽象。小朋友學習數學的過程非常細微，有很多步驟需要拆解，還要維持興趣。照表操課講完公式定理也是一堂課，但真的要因材施教，好好教會小朋友數學，是一門難度很高的藝術。而且老師也說得沒錯，長題型的題目也需要很好語文理解能力，同時又需要有能力把文字轉譯成數學式子。

確實如此，當我們一直忘記數學就存在生活中，只強調公式背誦與解題策略，讓數學脫離生活，不講道理，孩子自然害怕數學。孩子分披薩，買東西學計算，陪父母去市場，遇到百貨公司打折等。數學如此無所不在，能實實在在跟數量打足交道，最後才把它們變化用數學表達出來。

沒有從事數學推廣前，我也不覺得數學實用、有趣。但這幾年下來，讀了許多科普書、與許多數學學者、老師交流後，我深信數學是非常實用的知識，甚至慢慢具備了如同美感、語感一樣的「數感」。我也希望透過這套作品，想要品味數學的父母與孩子感受到數學那閃閃發亮的光芒，享受它帶來的樂趣。

讓孩子喜歡數學的絕佳解方

臺灣大學電機工程系教授、PaGamO 創辦人／葉丙成

要讓孩子願意學習，最重要的是讓他們覺得學這東西是有用的、有趣的。但很多孩子對數學，往往興趣缺缺。即便數學課本也給了許多生活化例子，卻還是無法提起孩子的學習熱忱。

當我看到文華兄跟以威合作的這套《數感小學冒險系列》，我認為這就是解方！書裡透過幾位孩子主人翁的冒險故事，帶出要讓孩子學習的數學主題。孩子在不知不覺中，隨著主人翁在故事裡遇到的種種挑戰，開始跟主人翁一起算數學。這樣的表現形式，能讓孩子對數學更有興趣、更有感覺！

而且整套書的設計很完整，不是只有故事而已。如果只有故事，孩子可能急著看完冒險故事就結束了，對於數學概念還是沒有學清楚。每本書除了冒險故事外，還有另外對應的數學主題的教學，帶著孩子反思剛才故事中所帶到的數學主題，把整個概念介紹清楚，確保孩子在數學這一部分有掌握這次的主題概念。

更讓我驚豔的，是每本書最後都有一個對應的遊戲。這遊戲可以讓孩子演練剛才所學到的數學主題概念。透過有趣的遊戲，讓孩子可以自發地做練習數學，進而培養孩子的數感。我個人推動遊戲化教育不遺餘力，所以看到《數感小學冒險系列》不是只有冒險故事吸引孩子興趣，還用遊戲化來提昇孩子練習的動機。我真心覺得這套書，有機會讓更多孩子喜歡數學！

用文學腦帶動數學腦，
幫孩子先準備不足的先備經驗

彰化原斗國小教師／林怡辰

數學，是一種精準思考的語言，但長期在國小高年級第一教學現場，常發現許多孩子不得其門而入，眉頭深鎖、焦慮恐懼。如果您的孩子也是這樣，那千萬別錯過「數感小學冒險系列」。

由小朋友最愛的王文華老師用有趣濃厚的故事開始，故事因為主角而有生命和情境，再由數感天王賴以威老師在生活中發掘數學，連結生活，發現其實生活處處都是數學，讓我們系統思考、解決問題，再引入教具，光想就血脈賁張。眼前浮現一個個因為太害怕而當機的孩子，看著冰冷數字和題目就逃避的臉孔。喔！迫不及待想介紹他們這套書！

專對中高年級設計，專對孩子最困難的部分，包括國小數學的大數字進位、時間、單位、小數、比與比例、平面、面積和圓、對稱、立體與展開，不但補足了小學數學課程科普書的缺乏，更可貴的是不迴避正面迎擊孩子最痛苦的高階單元。最重要的是，讓喜歡文學的孩子，在閱讀中，連結生活經驗，增加體驗和注意，發現數學處處都是，最後，不害怕、來思考。

常接到許多家長來信詢問，怎麼在學校之餘有系統幫助孩子發展數學運思，以往，我很難有一個具體的答案。現在，一起閱讀這套書、思考這套書、操作這套書，是我現在最好的答案。

從 STEAM 通向「數感」大門！

臺南師範大學附設小學教師／溫美玉

閱讀《數感小學冒險系列》就像進入「旋轉門」，你能想像門一打開，數學會帶你到哪些多變的領域嗎？

數學形象大翻身

相信大部分孩子對數學的印象，都跟這套書的主角小哲剛開始一樣吧？認為數學既困難又無趣，但我相信當讀者閱讀本書，跟著小哲進入「不可思『億』巧克力工廠」、加入「宇宙無敵數學社」後，會慢慢對數學改觀。為什麼呢？因為這本書蘊含「數感」這份寶藏！「數感」讓數學擺脫單純數字間的演練、習題練習，它彷彿翻身被賦予了生命，能在生活、藝術、科學、歷史中處處體會！

未來教育5大元素，「數感」一把抓

以下列舉《數感小學冒險系列》的五大特色：

①「校園故事」串起3人冒險

有故事情節、個性分明的角色，讓故事貼近孩子的生活。

②「實物案例」數學也能在日常生活中刷存在感

許多生活中理所當然的日常用品，都藏有數學的原則。像是鞋子尺寸（單位）、腳踏車前後齒輪轉動（比與比例）等，從中我們會發現人生道路上，數學是你隨時可能撞見的好朋友。

③「創意謎題」點燃孩子求知心

故事中的神祕角色鳳凰露露老師設計了許多任務情境，當中巧妙融入數學概念的精神。藉由解謎過程，能激發孩子對數學概念的思考。

④「數感百科」起源/原理/應用一把罩

從歷史、藝術、工程、科學、數學原理等層面總結概念，推翻數學只是「寫寫算算」的刻板印象。

⑤「數感遊戲」動手玩數學

最後，每單元都附有讓孩子實際操作的遊戲，讓數學理解不再限於寫練習題！

STEAM的最佳代言人！

STEAM是目前國外最夯的教育趨勢，分別含括以下層面：
科學（Science）、科技（Technology）、工程（Engineering）、藝術（Art）以及數學（Mathematics）。但學校的數學課本礙於篇幅，無法將每個數學概念的起源、應用都清楚羅列，使孩子在暖身不足的情況下就得馬上跳入火坑解題，也難怪他們對數學的印象只有滿山滿谷的數字符號及習題。

若要透澈一個概念的發展歷程、概念演進、生活案例，必須查很多

資料、耗很多時間，幸虧《數感小學冒險系列》這本「數學救星」出現，把STEAM五層面都萃取出來，絕對適合老師/家長帶領高年級孩子共讀（中、低年級有些概念太難，師長可以介入引導）。以下舉一些書中的例子：

① **科學** Science
　　「時間」單元的地球自轉、公轉概念。

② **科技** Technology
　　科技精神涵蓋書中，可以帶著孩子上網連結。

③ **工程** Engineering
　　「比與比例」單元的腳踏車齒輪原理。

④ **藝術** Art
　　「比與比例」單元的伊斯蘭窗花、黃金螺旋。

⑤ **數學** Mathematics
　　為本書的主體重點，包含故事中的謎題任務及各單元末的「數感百科」。

你發現了什麼？畢竟是實體書，因此書中較少提到「科技」層面，我認為這時老師/家長可以進行的協助是：

指導他們以「Google搜尋 / Google地圖」自主活用科技資源，查詢更多補充資料，比如說在「單位」單元，可以進行特定類型物件的重量/長度比較（查詢「大型動物的體重」，並用同一單位比較、排行）；長度/面積單位也可以活用Google地圖，感受熟悉地點間的距離關係。如此一來，讓數學不再單單只是數學，還能從中跨越科目進入自然、社會、資訊場域，這套書對於STEAM或素養教學入門，必定是妙用無窮的工具書。

增加「數學感覺」也是我平常上數學課時的重點，除了照著課本題目教以外，我也會時時在進入課程前期、中期進行提問（例如：「為什麼人類需要小數？它跟整數有什麼不同？可以解決生活中的什麼事情？」。在本書的應用上，可以結合這樣的提問，讓孩子先自己預測，再從書中找答案，最後向師長說明或記錄的評量方式，他們便能印象更鮮明。總而言之，我認為比起計算能力的培養，「數感」才是化解數學噩夢的治本法門，有了正向的「數學感覺」，才有可能點亮孩子對數學（甚至是自然、社會、資訊等）的喜愛，快用《數感小學冒險系列》消弭孩子對數學科的恐懼吧！

●● 知識讀本館

作者	王文華、賴以威
繪者	BO2、楊容
照片提供	Shutterstock、維基百科

責任編輯	呂育修
文字編輯	高凌華
美術設計	洋蔥設計
行銷企劃	陳雅婷

天下雜誌群創辦人　殷允芃
董事長兼執行長　何琦瑜
媒體暨產品事業群

總經理	游玉雪
副總經理	林彥傑
總編輯	林欣靜
行銷總監	林育菁
主編	楊琇珊
版權主任	何晨瑋、黃微真

出版者	親子天下股份有限公司
地址	台北市 104 建國北路一段 96 號 4 樓
電話	(02) 2509-2800
傳真	(02) 2509-2462
網址	www.parenting.com.tw
讀者服務專線	(02) 2662-0332　週一～週五：09:00～17:30
讀者服務傳真	(02) 2662-6048
客服信箱	parenting@cw.com.tw
法律顧問	台英國際商務法律事務所・羅明通律師
製版印刷	中原造像股份有限公司
總經銷	大和圖書有限公司　(02) 8990-2588

出版日期	2020 年 4 月第二版第一次印行
	2024 年 4 月第二版第七次印行
定價	300 元
書號	BKKKC144P
ISBN	978-957-503-577-8（平裝）

訂購服務

親子天下 Shopping　shopping.parenting.com.tw
海外・大量訂購　parenting@cw.com.tw
書香花園　台北市建國北路二段 6 巷 11 號　(02) 2506-1635
劃撥帳號　50331356 親子天下股份有限公司

國家圖書館出版品預行編目 (CIP) 資料

怪怪小屋的考驗 / 王文華，賴以威文；BO2,
楊容圖 . -- 第二版 . -- 臺北市：親子天下，2020.04
　面；　公分 . -- (數感小學冒險系列；5)

ISBN 978-957-503-577-8(平裝)

1. 數學教育 2. 小學教學

523.32　　　　　　　　　　109003371

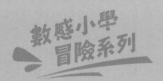

怪怪小屋的
5 考驗

立即購買 >